Pour le CD audio :

Voix : Claude Clément, Étienne, Garance, Louna, Lucie, Maïna, Maxine, Raphaël, Rose, Sofiane et Suzanne

Arrangements et réalisation : Michel Provisor et Vincent Clément

© Flammarion, 2011
Éditions Flammarion — 87, quai Panhard-et-Levassor, 75647 Paris Cedex 13
Dépôt légal : mars 2011 — ISBN : 978-2-0812-4770-3
N° d'édition : L.01EJDN000643.C003
Imprimé en Chine par APS – 06-2016
www.editions.flammarion.com
Loi n°49-956 du 16 juillet 1949 sur les publications destinées à la jeunesse

Illustrations
de Hervé Le Goff

Berceuses
et comptines

pour s'endormir

Père Castor

Sommaire

Fais dodo, Colas mon p'tit frère

Fais dodo,
Colas mon p'tit frère,
Fais dodo, t'auras du lolo.

Maman est en haut,
Qui fait des gâteaux.
Papa est en bas,
Qui fait du nougat...

Si tu fais dodo,
Maman vient bientôt.
Si tu ne dors pas,
Papa s'en ira...

Ils étaient cinq dans un grand lit

Ils étaient cinq dans un grand lit *(bis)*
Et le petit poussait, poussait…
Et le pouce tomba du lit.

Ils étaient quatre dans un grand lit *(bis)*
Et le petit poussait, poussait…
Et l'index tomba du lit.

Ils étaient trois dans un grand lit *(bis)*
Et le petit poussait, poussait…
Et le majeur tomba du lit.

Ils étaient deux dans un grand lit *(bis)*
Et le petit poussait, poussait…
Et l'annulaire tomba du lit.

Il était seul dans le grand lit *(bis)*
Et le petit se dit, se dit :
« J'ai de la place dans ce grand lit ! »

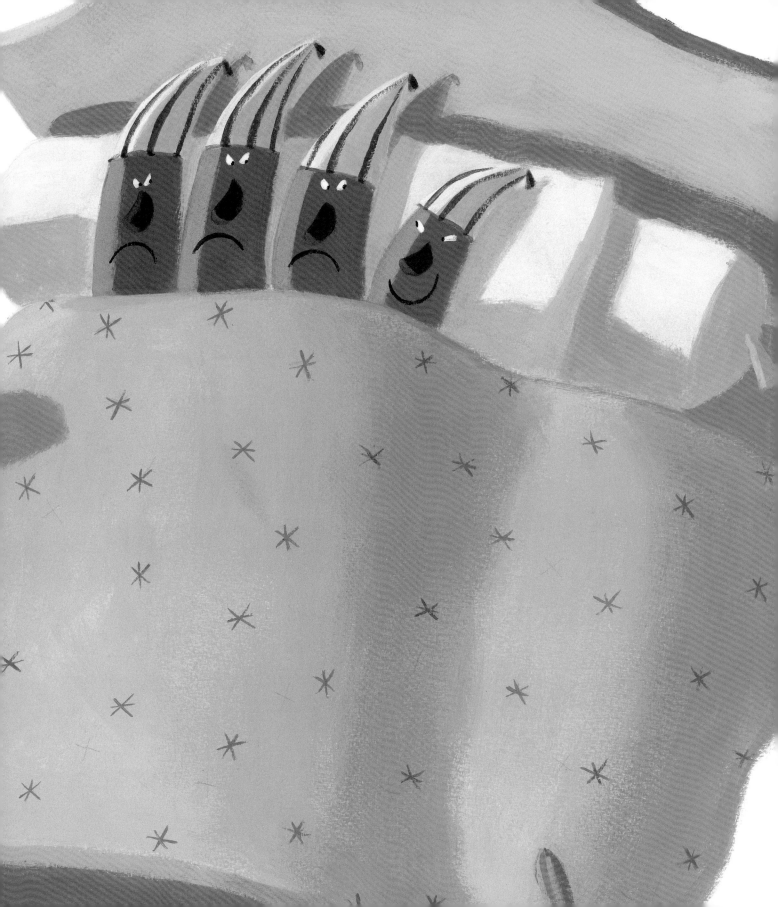

Fais dodo, le petit Pierrot

Fais dodo, le petit Pierrot,
J't'apprendrai à filer la laine.
Fais dodo, le petit Pierrot,
J't'apprendrai à faire des sabots.

Fais dodo le petit Pierrot,
Tu sauras cultiver la terre.
Fais dodo le petit Pierrot,
J'te donnerai voitures et chevaux !

12

Chut, petit enfant !

Berceuse des Appalaches, États-Unis
Hush little baby

Chut ! petit enfant, fais dodo,
Papa va t'offrir un très bel oiseau.

Si cet oiseau ne sait pas chanter,
Papa t'offrira un anneau doré.

Et si ce bel anneau se ternit,
Papa t'offrira un miroir joli.

Comme ce miroir pourrait se briser,
Papa t'offrira un mouton frisé.

Si ce mouton n'était pas très drôle,
Papa t'offrirait une carriole.

Si la carriole se renversait,
Tu aurais alors un petit chien très gai.

Et si ce chien n'était pas amusant,
Papa t'offrirait un cheval tout blanc.

Et même si ce cheval blanc s'enfuit,
Tu serais le plus bel enfant du pays !

Moustache, moustachu

Moustache, moustachu
Griffes, sortez !
Griffa, griffu
Griffes, rentrez !
Chats dormez !
Moustache, moustachu

Un chat gris dormait

Un chat gris dormait.
Sur son dos dansaient
Cinq petites souris.
1 - 2 - 3 - 4 - 5
Le chat gris les a prises.
TANT PIS !

Dodo,
ti pitit maman

Berceuse des Grandes Antilles

Dodo, ti pitit maman.
Dodo, ti pitit maman.

Si ou pas dodo
Crab la va manger.
Si ou pas dodo
Crab la va manger.

Si ou pas dodo
Crab la va manger.
Si ou pas dodo
Crab la va manger.

Dodo, ti pitit maman.
Dodo, ti pitit maman.

Dodo, pitit crab lanca la lou.
Dodo, pitit crab lanca la lou.

Dors, mon petit gars

Berceuse d'Allemagne

Dors, dors, mon petit gars !
Les moutons sont dans les prés
Et les agneaux sont rentrés.
Dors, petit ange adoré.
Dors, dors, mon petit gars !

Dors, dors, mon tout petit !
Papa garde les moutons
Et Maman secoue les arbres.
Il en tombe un petit rêve.
Dors, dors, mon tout petit !

Dors, dors, mon tout petit !
Les moutons sont dans le ciel.
Les agneaux sont les étoiles
Et la lune est la bergère.
Dors, dors, mon tout petit !

Doucement, doucement

Doucement, doucement,
Doucement s'en va le jour.
Doucement, doucement,
À pas de velours.

La rainette dit
Sa chanson de pluie,
Et le lièvre fuit
Sans un bruit.

Les oiseaux blottis
Dans le creux des nids
Se sont endormis.
Bonne nuit.

Dame l'Endormette

Dame l'Endormette,
Passez par chez nous.
Garçons et fillettes
Pleurent après vous !

Touchez de vos doigts charmants,
De vos doigts jolis, joli-joli-joliettes !
Touchez de vos doigts charmants
Le front des petits, des petits enfants !

Passez l'Endormette
Et versez sur eux
La fine sablette
Qui ferme les yeux…

Donnez l'avantage
De beaux rêves bleus.
On rêve à tout âge,
Cela rend heureux…

Dormez mignonnettes
Et vous petits gars !
Je reste seulette
Et mon cœur est las…

Berceuse de Brahms

Berceuse d'Allemagne
Guten Abend, gute Nacht

Bonne nuit, mon chéri,
Pleine de jolis rêves…
Douce nuit, mon petit,
Au fond de ton petit lit.

Au matin, tu t'éveilles
De ton profond sommeil
Et la vie t'émerveille,
Les fleurs comme le soleil…

Morgen früh, wenn Gott will,
Wirst du wieder geweckt.
Morgen früh, wenn Gott will,
Wirst du wieder geweckt.

Frère Jacques

Frère Jacques,
Frère Jacques,
Dormez-vous,
Dormez-vous ?

Sonnez les matines,
Sonnez les matines,
Dig, ding, dong,
Dig, ding, dong !

28

La cloche du vieux manoir

C'est la cloche du vieux manoir
Du vieux manoir.
Qui sonne le retour du soir
Le retour du soir.

Dig, ding, dong !
Dig, ding, dong !

29

Meunier, tu dors

Meunier, tu dors,
Ton moulin, ton moulin
Va trop vite,
Meunier, tu dors,
Ton moulin, ton moulin
Va trop fort.

Ton moulin, ton moulin
Va trop vite,
Ton moulin, ton moulin
Va trop fort.

Ton moulin, ton moulin
Va trop vite,
Ton moulin, ton moulin
Va trop fort.

Maman li aller chercher l'eau

Berceuse de Louisiane, États-Unis

Maman li aller chercher l'eau.
Papa li aller chercher l'eau.
Fais doudou piti…
Boum la la la boum !
Boum la la la boum !
Dodo, piti coco,
Piti coco va faire un gros dodo !

Sainte Marguerite,
Endormez-li vite !
Dodo, piti coco,
Piti coco va faire un gros dodo !

Toc, toc, toc, monsieur Pouce

– Toc, toc, toc, monsieur Pouce, es-tu là ?
– Chut ! je dors.
– Toc, toc, toc, monsieur Pouce, es-tu là ?
– Chut ! je dors.
– Toc, toc, toc, monsieur Pouce, es-tu là ?
– Oui ! je sors.

Au clair
de la lune

Au clair de la lune,
Mon ami Pierrot,
Prête-moi ta plume,
Pour écrire un mot.
Ma chandelle est morte,
Je n'ai plus de feu.
Ouvre-moi ta porte,
Pour l'amour de Dieu !

Au clair de la lune,
Pierrot répondit :
– Je n'ai pas de plume,
Je suis dans mon lit.
Va chez la voisine,
Je crois qu'elle y est,
Car dans sa cuisine
On bat le briquet.

Au clair de la lune,
L'aimable Lubin
Frappe chez la brune
Qui répond soudain :
– Qui frappe de la sorte ?
Il dit à son tour :
– Ouvrez votre porte
Pour le Dieu d'amour.

Au clair de la lune,
On n'y voit qu'un peu :
On chercha la plume,
On chercha du feu.
En cherchant d'la sorte
Je n'sais c'qu'on trouva,
Mais je sais qu'la porte,
Sur eux se ferma.

Berceuse de Mozart

Berceuse d'Autriche

Dors mon petit ange, dors,
La nature aussi s'endort.
Les oiseaux ferment les yeux.
Les petits loirs sont heureux.
Au ciel la lune s'allume
Et Pierrot cherche sa plume.
Un grand silence s'étend.
Dors mon tout petit enfant,
Dors, dors, dors…

Dors, min p'tit quinquin

Dors, min p'tit quinquin,
Min p'tit pouchin, min gros rojin !
Tu m'f'ras du chagrin,
Si te n'dors point ch'qu'à d'main.

Ainsi l'aut'jour eun' pauvr' dintelière
In amiclotant sin p'tit garchon,
Qui, d'puis tros quarts d'heure, n'faijot qu'braire
Tâchot d'l'indormir par eun' canchon.
Ell' li dijot : Min Narcisse,
D'main t'aras du pain d'épice,
Du chuc à gogo
Si t'es sache et qu'te fais dodo.

Et si te m'laich' faire eun' bonn' semaine,
J'irai dégager tin biau sarrau
Tin patalon d'drap, tin giliet d'laine
Comme un p'tit milord, te s'ras farau !
J't'acat'rai, l'jour d'la ducasse
Un porichinell' cocasse
Un turlututu
Pour juer l'air du capiau-pointu.

Nous irons dins l'cour Jeannette-à-Vaques
Vir les marionnett's. Comm' te riras,
Quand t'intindras dire : Un doup' pou' Jacques !
Pa' l'porichinell' qui parl' magas
Te li mettras dins s'menotte
Au lieu d'doupe, un rond d'carotte !
I t'dira : Merci !
Pins' comm' nous arons du plaisi !

Et si par hasard sin maite s'fâche,
Ch'est alors, Narciss, que nous rirons
Sans n'avoir invi', j'prindrai m'n air mache
J'li dirai sin nom et ses sournoms,
J'li dirai des fariboles
I m'in répondra des drôles
Infin, un chacun
Verra deux pestac' au lieu d'un.

Alors, serr' tes yeux, dors, min bonnhomme,
J'vas dire eun' prière à P'tit-Jésus
Pour qu'y vienne ichi, pindant tin somme
T'faire rêver qu'j'ai les mains plein's d'écus
Pour qu'i t'apporte eun'coquille
Avec du chirop qui guile
Tout l'long d'tin minton
Te pourlèqu'ras tros heur's de long.

L'mos qui vient, d'Saint-Nicolas ch'est l'fête
Pour sûr, au soir, y viendra t'trouver
I t'f'ra un sermon et t'laicher'ra mette
In d'zous du balot un grand painnier
I l'rimplira, si t'es sache,
D'séquois qui t'rindront bénache,
Sans cha, sin baudet
T'invoira un grand martinet.

Ni les marionnett's, ni l'pain d'épice
N'ont produit d'effet, mais l'martinet
A vit' rappajé l'petit Narcisse
Qui craignot d'vir arriver l'baudet
Il a dit s'canchon dormoire…
S'mère l'a mis dins s'n'ochennoire
A r'pris sin coussin,
Et répété ving fos che r'frain.

Ce petit garçon a sommeil

Berceuse d'Espagne

Este niño tiene sueño,
Este niño va a dormir.
Un ojito tiene cerrado
Y el otro no puede abrir... *(bis)*

Ce petit garçon a sommeil,
Ce petit garçon va dormir.
Un de ses yeux est déjà fermé
Et l'autre il ne peut l'ouvrir...

Ani couni

Berceuse amérindienne

Ani couni, ca-aounani *(bis)*
Awawa, bicana caina *(bis)*
Eaou-ouni, bissini. *(bis)*

Dors, dors, mon enfant,
Dors tranquillement.
Ta maman veille sur ton sommeil.
Dors jusqu'au lever du soleil.

Papa l'a dit

Papa l'a dit : fallait dormir.
Maman l'a dit : fallait dormir.

Dodo le petit,
Puisque Papa et Maman l'ordonnent.
Dodo le petit,
Puisque Papa et Maman l'ont dit.

Papa l'a dit : fallait dormir.
Maman l'a dit : fallait dormir.

Dodo le petit,
Puisque Papa et Maman l'ordonnent.
Dodo le petit,
Puisque Papa et Maman l'ont dit.

Par une tiède nuit de printemps,
Il y a bien de cela cent ans,
Que sous un brin de persil sans bruit
Tout menu naquit :
Jean de la Lune, Jean de la Lune.

Il était gros comme un champignon
Frêle, délicat, petit et mignon,
Et jaune et vert comme un perroquet
Avait bon caquet :
Jean de la Lune, Jean de la Lune.

Quand il se risquait à travers bois,
De loin, de près, de tous les endroits,
Merles, bouvreuils sur leurs mirlitons,
Répétaient en rond :
Jean de la Lune, Jean de la Lune.

Quand il mourut, chacun le pleura,
Dans son potiron on l'enterra,
Et sur sa tombe l'on écrivit
Sur la croix : ci-gît
Jean de la Lune, Jean de la Lune.

Dans sa mémoire chacun gardera,
Aux petits enfants racontera,
Tous les soirs avant d'aller au lit,
L'histoire du petit :
Jean de la Lune, Jean de la Lune.

Jean
de la
Lune

Berceuse corse

Dans les montagnes de Corse
Vient de naître une fillette,
Et sa mère lui fredonne
Cette douce chansonnette :
« Ma petite, ô ma douce,
Tu auras tous les talents !

De tes doigts fins et précis,
Sauras faire pâtisserie.
Et ta voix tendre et câline
Chantera dans la cuisine.
Ma petite, ô ma douce,
Tu auras tous les talents !

Quand tu seras demoiselle,
Tu t'habilleras de dentelles,
De satins et de soieries,
Couleurs de jardin fleuri.
Ma petite, ô ma douce,
Tu auras tous les talents ! »

Berceuse
de Noël

Entre le bœuf et l'âne gris,
Dort, dort, dort le petit fils.

Mille anges divins,
Mille séraphins
Volent alentour
De ce grand Dieu d'amour.

Entre les pastoureaux jolis,
Dort, dort, dort le petit fils…

Entre les roses et les lys,
Dort, dort, dort le petit fils…

Entre les deux bras de Marie,
Dort, dort, dort le petit fils…

50

Passe la Dormette

Passe la Dormette
Passe vers chez nous
Pour endormir Linette
Jusqu'au point du jour.

Dodo,
l'enfant do

Dodo, l'enfant do,
L'enfant dormira bien vite,
Dodo, l'enfant do,
L'enfant dormira bientôt.

Duerme, duerme, Negrito

Berceuse de Cuba

Duerme, duerme, Negrito,
Que tu mama está en el campo-o-o. *(bis)*
Te va a traer codornices para ti.
Te va a traer rica fruta para ti.
Te va a traer muchas cosas para ti.
Y si negro no se duerme,
Viene el diablo blanco
Y le come las patitas !
Duerme, duerme, Negrito,
Que tu mama está en el campo-o-o. *(bis)*

Dors, Negrito, dors,
Pendant que ta maman est aux champs. *(bis)*
Elle te rapportera des petites cailles.
Elle te rapportera des fruits délicieux.
Elle te rapportera beaucoup de choses.
Et si Negrito ne dort pas,
Le diable blanc viendra
Et mangera sa petite main.
Dors, Negrito, dors,
Pendant que ta maman est aux champs. *(bis)*

PARIS

Un petit grain d'or

À Paris,
Il y a un petit grain d'or. *(bis)*
Un petit grain d'or
Et l'enfant s'endort
Jusqu'au tout grand jour.
Dors mon cher amour !

À Paris,
Il y a deux petits grains d'or. *(bis)*
Deux petits grains d'or
Et l'enfant s'endort
Jusqu'au tout grand jour.
Dors mon cher amour !

À Paris,
Il y a trois petits grains d'or. *(bis)*
Trois petits grains d'or
Et l'enfant s'endort
Jusqu'au tout grand jour.
Dors mon cher amour !

Le tour de la maison

Je fais le tour de ma maison
Je descends les escaliers
Je tourne la clef
Je ferme les volets
Je ferme les fenêtres
Et maintenant :
Bonne nuit.

Dobrou noc

Berceuse de Tchéquie

Dobrou noc ma mila, dobrou noc !
Ne chti je sam po boh na promoc
Dobrou noc… Dobré spi…
Nech sa ti snivaji sladké sni !

Bonne nuit, bonne nuit, ma chérie !
La grande ville s'est endormie.
Bonne nuit… Bonne nuit !
Et que tous tes rêves soient jolis !